Aynalıkavak Kasrı

İstanbul 2011

TBMM Milli Saraylar Daire Başkanlığı yayınıdır.

Yayın No. 67

Milli Saraylar Daire Başkanlığı Adına Yayınlayan
Yasin Yıldız

Yayın Kurulu
Fahrettin Gün (Başkan)
Dr. Kemal Kahraman
Dr. Halil İbrahim Erbay
İlhan Kocaman
Dr. Jale Beşkonaklı
Güller Karahüseyin
Şule Gürbüz
Murat Taşar

Editör
Fahrettin Gün

Metin
Semavi Eyice
Mehmet Kenan Kaya
Şule Gürbüz

Yayın Koordinasyonu
Esin Öncü

Grafik Tasarım
Eren Fahri Ötünç

Redaksiyon
İlona Baytar
Mehmet Ali Güveli

Teknik Koordinasyon
Serpil Dede

Fotoğraf
Suat Alkan

Baskı
TBMM Basımevi - Ankara

ISBN: 978-975-6226-81-0

İçindekiler

Toplumların kültürel verileri hemen her dönem mimari yapılar ile görünürlük kazanmıştır. Ait oldukları dönemin siyasi ve kültürel özelliklerini taşıyan bu yapılar, geçmişle gelecek arası köprü vazifesi görürken aynı zamanda günümüzün hızla değişen ortamlarında da ayakta kalmaya çalışmaktadırlar.

Bugün Milli Saraylar Daire Başkanlığı'na bağlı saray, köşk ve kasırlarımız Osmanlı toplumunun kültürel birikiminin önemli örneklerini oluşturmaktadır. Her biri inşa edildiği dönemin izlerini taşıyan yapılar içinde, gerek mimarisi gerekse iç düzenlemeleri ile Aynalıkavak Kasrı diğerlerinden ayrı bir yere sahiptir. Haliç kıyılarında Tersane Sarayı olarak bilinen yapılar grubunun günümüze ulaşabilen tek binası olan Kasır, tek katlı cephesi ve döneminin süsleme tarzı ile Osmanlı klasik mimarlığının son örneklerinden birisini teşkil etmektedir.

Uzun bir çalışmanın ardından restorasyonu tamamlanarak tekrar ziyarete açılan ve toplumumuza kazandırılan bu Kasr'a ait böyle bir çalışmanın hazırlanarak, kültür ve sanat ortamımıza kazandırılmasını sağlayan Milli Saraylar Daire Başkanlığı'na teşekkür ederim.

Cemil ÇİÇEK
Türkiye Büyük Millet Meclisi Başkanı

Osmanlı Devleti'nin temsil yapıları içinde bulunan saray, köşk ve kasırlarımız, mimari ve dekorasyon özelliklerinin yanı sıra dönemlerinin yaşam tarzını ve anlayışını; kültürel, sosyal ve sanatsal etkilenmelerini; saray örgütündeki değişimleri yansıtmaları bakımından büyük önem taşımaktadırlar.

Gerek devletin idari merkezi olarak kullanılan saray yapıları gerekse yazlık ve günübirlik olarak kullanılan kasır ve köşklerimiz birer müze-saray olarak geçmiş dönemlerin bugünkü temsilcisidirler. Milli Saraylar adı altında birleşen bu yapılar grubunun, sahip oldukları koleksiyonları ile birlikte gelecek nesillere aktarmak adına koruma altına almak, aynı zamanda Türk ve dünya kamuoyuna tanıtmak Milli Saraylar Daire Başkanlığı'nın hedefleri arasında yer almaktadır.

Bu çerçevede restorasyon çalışması tamamlanan Aynalıkavak Kasrı 18. yüzyılın ilk yarısına tarihlenen ve üç sofalı çifte divanhaneli plan şeması, tek katlı cephe düzenlemesi ile diğer köşk ve kasırlarımızdan ayrılır. Mimari şemasına paralel gelişme gösteren iç düzenlemesindeki sedir ile döneminin sembol yapısı olmuştur. Sultan III. Selim'in adı ile anılan bu tarihi yapı, içerisinde düzenlenen Türk Musikisi Sazları Sergisi ile Türk musikisi meraklılarına da hitap ederken, titiz bir çalışmanın sonucunda hazırlanan bu kitap, bilgi ve görsel zenginlikler ile birleşerek okuyuculara takdim edilmiştir.

Bu yayının hazırlanmasında emeği geçen arkadaşlarımı kutluyor ve başarılar diliyorum.

Yasin YILDIZ
Milli Saraylar Daire Başkanı

Haliç Kıyısında Kalan Son Osmanlı Sarayı: Aynalıkavak Kasrı

Prof. Dr. Semavi Eyice*

Fetihten sonra Osmanlı Devleti'nin başkenti olan İstanbul'un en güzel yeri Sarayburnu'nda, Saray-ı Hümâyûn'un yapımına başlanmış ve tarih boyunca ilavelerle genişletilmiş, bugün Sirkeci demiryollarının olduğu kısımda bir de yazlık bölüm inşa edilmiştir. Bunun dışında şehrin çevresinin çeşitli yerlerinde yazlık büyük saraylar veya günübirlik kullanılan "biniş kasırları" da inşa edilmiştir. Padişah ve saray halkının kalabalık bir kısmını yaz aylarında barındıran Salacak'taki Kavak Sarayı'ndan bugün hiçbir iz kalmamıştır. Beykoz'un kuzeyinde kurulan ve divanhanesi Boğaz'ın suları üzerine çakılan mermer sütunlar üzerine oturan Saray'ı da yalnız Fransız Doğu bilimcisi A. Galland'ın seyahatnamesindeki tasvirinden ve bir de 18. yüzyıl başlarında Osmanlılara sığınan İsveç Kralı'nın yanındaki subaylardan Cornelius Loos'un bir çiziminden tanıyabiliyoruz. Diğer bir büyük saray kompleksi de Haliç'in yukarı kesiminde, kuzey yakada Hasköy ile Kâğıthane deresi çıkışı arasındaki alanda kurulmuş olan büyük Tersane Sarayı'dır. Çok geniş bir alana yayılan ve içinde padişaha mahsus bölümlerden başka harem dairesi ve hamamları da bulunan bu büyük saray kompleksi, ulu ağaçların gölgesinde, su kıyısında göz kamaştırıcı bir güzelliğe sahip bulunuyordu. Bu büyük saray kompleksinin eldeki minyatür ve gravürlerden anlaşıldığına göre, en az iki aşamada değişikliğe uğradığı anlaşılmaktadır. Merhum Sedad Eldem bunlardan bir tanesinin iç teşkilat planını, deneme olarak yayınlamıştır.
Osmanlı Devleti 19. yüzyılın başlarından itibaren bir yenileşme ve sanayileşme atılımı içindedir. Bu yoldaki gelişmeyi destekleyen Sultan III. Selim bu Saray'ın arazisini de kurulmakta olan yeni sanayi tesislerine feda etmekten çekinmemiştir. Ancak çok kısıtlanan bir bölümde yeni bir kasır yapmak gereği de görülmüştür. İşte tarihimize Aynalıkavak Kasrı olarak geçen ve günümüze kadar da olduğu gibi kalabilen bu küçük yapı Aynalıkavak Sarayı'nın pavyonudur. Etrafını çeviren yüksek duvarların içinde, çevresindeki sanayi tesislerinden tecrit edilmiş durumda kalan bu şirin biniş kasrı, Haliç kıyısında yaşamını sürdürmektedir. Bir vakitler Haliç'in güzelliklerinin bir simgesi olarak kalabilen bu son tarihi eser dikkat ve itina ile korunmalıdır. Hakkında önce 1988 yılında Sanat Dünyamız dergisinde bir makale yazmıştık. Sonra 1999'da Milli Saraylar, Tarih, Kültür, Sanat, Mimarlık dergisinde daha etraflı ve resimleri zenginleştirilmiş olarak bir daha işlemiştik. Şimdi Aynalıkavak Kasrı konusunu bu son yazımız esas olmak üzere değiştirmeksizin bir kitapçık halinde okuyucuya takdim ediyoruz.

* Sanat Tarihçisi
Bu makale 1999 yılı, MS Sayı 1'de yayınlanan makaleden düzenlenerek alınmıştır.

Bugün Aynalıkavak Kasrı diye bilinen şirin ve güzel yapı, bir zamanlar, akisleri Haliç'in berrak sularına vuran birçok köşk, harem ve hizmet binalarından meydana gelmiş bir kompleksti. Tersane veya Aynalıkavak Sarayı adını taşıyan bu kompleks, III. Selim zamanında tek bir yapıya indirgenmiş, arazisinin büyük bölümü giderek genişleyen tersaneye bırakılmıştır.

Sultan II. Mehmed (Fatih), 1453'de İstanbul'u fethettikten sonra, ilk olarak, eski "Forum Tauri"nin yerinde, şimdiki üniversite merkez binasının bulunduğu mahalde, bir saray yapılmasını emretmişti. Kısa süre içinde, o dönem Osmanlı Türk zevkine uygun olarak yükselen Saray kompleksi, tarihe "Saray-ı Atik" (Eski Saray) adıyla geçmiştir. Ancak İstanbul'un en güzel köşesi olan tarihî yarımadanın ucunda, gerek manzarası gerek her mevsimde ve her rüzgârda yerleşim alanı olarak uygunluğu nedeniyle, yüzyıllar boyunca, Osmanlı padişahlarının ikamet edecekleri asıl sarayın ilk yapılarını da yine Fatih kurdurmuştur. "Saray-ı Cedid" yani "Yeni Saray" adıyla tarihe geçen bu kompleks de, bugün "Topkapı Sarayı" diye bilinen yapılar topluluğudur.

Aynalıkavak Kasrı

Osmanlı hünkârları her zaman su kıyılarını tercih etmişlerdir. Bunun için Saray-ı Cedid'in arazisinde, bugün Sarayburnu dediğimiz en uç kesimde Batılı seyyahların "Harem d'été" (yazlık harem) olarak adlandırdıkları, büyük bir sahilsaray kompleksi yaptırmışlardır. Pek çok defa onarım gören, 1855'e doğru çekilen bir fotoğraftan anladığımıza göre, o sıralarda oldukça da bakımlı bir halde olan bu büyük kıyı saray kompleksi, 1863'de çıkan bir yangında harap olmuş, bir süre sonra da demiryolu geçirilmek üzere tümüyle yıkılarak ortadan kaldırılmıştır.

Padişahların, kıyılarda denizi seyrederek yaşamın zevkini çıkardıkları ve özellikle bahar ve yaz aylarında oturmayı tercih ettikleri "sayfiye" sahilsarayları da vardı. Bunlardan biri, Üsküdar ile Kadıköy arasında, Salacak semtinde bulunan "Kavak Sarayı" idi. Bugün hiçbir izi görünmeyen, Marmara üzerinde güneşin batışına hâkim bir konuma sahip bu Saray'dan, bize yalnızca Harem İskelesi adı, bir hatıra olarak kalmıştır.

Boğaziçi kıyılarında çeşitli yerlerdeki köşk ve kasırlardan başka Kanunî döneminde çok güzel ve mimarisi bakımından ilgi çekici bir kasır da Beykoz dolaylarında inşa edilmişti. Bir kısmı su üstünde direklere oturan ve iç duvarlarında kasideler yazılı olan bu Kasır, en azından 18. yüzyıl başlarına kadar yaşamıştır.

Bir başka sahilsarayı ise, bir zamanlar tertemiz berrak suları, bir kısmı yemyeşil kıyıları, özellikle yukarı kesimlerinde sıralanan muhteşem yalılarıyla dünyanın sayılı güzel köşelerinden biri olan Haliç'in, Galata yakasında yer alıyordu. Gerçekten de o dönemlerde, Haliç'in suları öylesine temizdi ki, en iyi balıklar burada tutulur, en dolgun istiridyeler burada toplanırdı. Bugün Aynalıkavak Kasrı diye bilinen şirin ve güzel yapı, bir zamanlar, akisleri Haliç'in berrak sularına vuran birçok köşk, harem ve hizmet binalarından meydana gelmiş bir kompleksti. İstanbul çevresinde ve Boğaziçi'nin doğal güzelliğe sahip birçok köşesinde, Haliç'in kuzey kıyılarında Bizans döneminde yerleşime dair kayda değer bir bilgi ve iz yoktur. Ancak eski bir efsane, *Zootikos* adındaki bir azizin hayatından bahsederken onun adına Haliç'in yukarı kesiminde kurulmuş bir cüzzamhâneden (leprosere) bahseder. Bu tecrithanenin tam yeri bilinmemekle beraber efsanenin içindeki bazı ayrıntılardan Hasköy dolaylarında bir yerde olabileceği tahmin olarak ileri sürülmektedir. Hatta yine bir ihtimal olarak Haliç üzerinde Hasköy Köprüsü yapıldığı sırada kuzey tarafındaki ucunda, yamaçta görülen bazı Bizans dönemi duvar kalıntıları belki de bu cüzzamhânenin son izleri idi. Ancak bu izler yakın yıllardaki yapılaşmayla yok olmuştur. Bu bölgenin Bizans çağındaki durumu hakkında daha fazla bir şey bilinmemektedir.

19. yüzyıl başlarında Aynalıkavak ve çevresi, Melling, Paris, 1819.

Hünkârlar kısa süreli ikametleri için köşkleri, günlük ziyaretlerinde dinlenmek için ise biniş kasırlarını kullanmışlardır. Aynalıkavak Sarayı ise aksine, bir zamanlar, padişahın bütün harem halkı ve hizmetlilerinin büyük bölümüyle gelip uzunca bir süre yaşayabildiği büyük bir Saray idi. O nedenle de sultana mahsus köşklerden başkaca, harem halkı ve hizmetliler için de ayrı ayrı daireler bulunuyordu.

Bugün etrafı duvarlarla çevrili ve denizle artık hiçbir bağlantısı bulunmayan, tek bir kasırdan ibaret Aynalıkavak Sarayı'nın öncüsü, aslında "Tersane Bahçesi Sarayı" diye tarihe geçen binadır. "Aynalıkavak" adının Venedik Cumhuriyeti ile Osmanlı Devleti arasında imzalanan 1718 tarihli barış antlaşmasından sonra padişaha armağan olarak gönderilen büyük ve değerli Venedik aynalarının, iç süslemelerde kullanılmasından dolayı Saray'a verildiği söylenmektedir. "Kavak kadar uzun endam aynaları olan Saray" sözünün "Aynalıkavak" adına dönüştüğü yaygın bir görüştür. Oysa 19. yüzyıl başlarında, halen İstanbul Deniz Müzesi'nde bulunan, Mıgırdiç Melkon adlı bir sanatkâr tarafından yapılmış kabartma resimde, Saray'ın arkasın-

1865 yılında Sultan'a sunulan Gazneli Mahmud Mecmuası'ndaki bir minyatürde Aynalıkavak Sarayı. İstanbul Üniv. Kütüphanesi.

daki korulukta, gövdesine ayna parçası gömülmüş bir kavak ağacı görülmektedir. Hâlbuki ona nazaran çok daha eski tarihlere ait yine böyle gövdesine bir ayna gömülmüş ağaç gösteren 1677 tarihli bir başka minyatür İstanbul Üniversitesi Kütüphanesi TY. 5461 no.lu "Gazneli Mahmud Mecmuası" adlı bir albümde görülmektedir. III. Ahmed döneminde İstanbul'a gelen ve Aynalıkavak Sarayı'na girme imkânı bulan Aubry de la Motraye ise seyahatnamesinde, Saray'ın bu adı, odalarındaki irili ufaklı aynalardan aldığını yazmaktadır. III. Selim'in saltanat yıllarında, adeta saray ressamı ve mimarı konumunda olan A. I. Melling'e gelince, o, buranın adının hep yanlış açıklandığını öne sürer. Melling'e göre güneş vurduğunda yaprakları sanki birer aynaymışçasına parlayan bir tür kavak ağacına "Aynalıkavak" denilmektedir ve Saray'ın bahçesinde de bu türden, çok yaşlı bir kavak ağacı bulunmaktadır. Gelgelelim, Tersane Sarayı'nın, çok daha önceki yıllardan beri "Aynalıkavak" adıyla bilindiği (1639 Kasım'ından 1641 Şubat'ına kadar) İstanbul'da kalan Du Loir'in seyahatnamesinden anlaşılmaktadır. Du Loir, Saray'ın kafes biçimindeki duvarlarının sanki aynalardan yapılmış izlenimini verdiği için buraya "Ayna Sarayı" dendiğini anlatmaktadır. İsveç Kralı XII. Karl ile birlikte İstanbul'a gelen mühendis ve sonradan general olan Cornelius Loos'da (1686-1738), 1710'da, yani Venedik'le yapılan antlaşmadan önce çizdiği ve Saray'ın içini gösteren resimlerin açıklamasında, binayı "Ayna Sarayı (Spegel Sreail-Sale de Miroirs)" diye adlandırmaktadır.

Demek oluyor ki buraya "Ayna Sarayı" veya "Aynalı Saray" denilmesi, Venedik barışından öncedir ve en azından 17. yüzyıldan itibaren bu ad kullanılmaktadır.

İ. Hakkı Konyalı'nın öne sürdüğü bir başka görüşe göre ise, o çağlarda ok hedeflerine "ayna", bunların destek kazıklarına da "kavak" deniliyordu. Saray'ın hemen arkasındaki tepe de Okmeydanı olduğuna göre, "Aynalıkavak" adı buradan kaynaklanmaktadır. Ne var ki bu varsayımın inandırıcılık kazanabilmesi için, ok hedefine gerçekten de "ayna", hedef kazığına da "kavak" denildiğinin kanıtlanması gerekir. Ayrıca Saray'ın bulunduğu mahallin ok hedefleriyle ilgisi de belgelenmelidir. Aksi halde bu görüş de yazarın tahminine dayalı bir iddiadan öteye gidemez.

Evliya Çelebi'nin yazdığına bakılırsa, fetihten hemen sonra, Otağ-ı Hümâyûn, Saray'ın inşa edildiği yere kurulmuş ve gâza malı burada dağıtılmıştır. Fatih Sultan Mehmed de, aynı yerde bir kasır, sofalar, havuz ile şadırvanlar ve bir hamam yaptırılmasını ferman etmiş, ayrıca çevreye on iki bin servi ağacı dikilmesini istemiştir. Sayı biraz abartılı da olsa, yörenin bir orman halinde olduğu gerçektir.

16. yüzyıldan itibaren "Tersane Bahçesi" diye adlandırılan bu yerde, Fatih döneminde gerçekten de bir kasır yapılıp yapılmadığı kesin olarak belli değildir. Anılan yüzyılın başlarında tersanenin Haliç'de, Kasımpaşa ve çevresine yerleşmesiyle, kıyı ve Okmeydanı arasında kalan geniş arazi de "Tersane Bahçesi" diye anılır olmuş ve bu yöreye, padişahlara mahsus olduğundan "Hasbahçe" de denilmiştir. Burada, saray mutfağına gidecek çeşitli sebzelerin yetiştirildiği bostanlarla, hünkârların atları için bir "Hasahır" da bulunuyordu.

Bilinen İlk Kasır

Tersane Bahçesi'nde inşa edildiği kesin olarak bilinen ilk kasır, Sultan I. Ahmed'in (1603-1617) buyruğu ile yaptırılmıştır. Genç Padişah, kısa saltanatı sırasında, zaman zaman Tersane Bahçesi'ne gelir ve buradan yaya olarak, Eyüp Sultan'ı ziyarete gitmiştir. *Naima Tarihi*'nden öğrendiğimize göre, Hünkâr, H. 1022 / 1613 yılı sonlarında, Edirne'de kaldığı günlerde, Tersane Bahçesi'ne bir kasır kurulmasını ferman etmiş ve 1023 / 1614 Muharrem'i başlarında İstanbul'a döndüğünde, yapımı henüz tamamlanmış olan bu kasırda bir süre kalmıştır. Bu arada, harem bahçesine, devlet ricalinin armağanı olan çiçekler de dikilmiştir. Padişaha refakat edenler epey kalabalık olduğundan bunların bir kısmı Haliç'in daha yukarılarında kurulu olan Karaağaç Kasrı ile hemen bitişiğindeki Yusuf Efendi Bahçesi'nde barınmışlardır. Tersane Bahçesi (veya Ayna) Sarayı'nda, 1615'de dünyaya gelen Sultan İbrahim de (1640-1648) Haliç kıyısındaki bu köşeyi sevmiş, burada yeni bir kasır daha inşa ettirip ayrıca harem bölümünün denizi görmesine engel olan yüksek duvarlarını da yıktırtarak cepheyi açtırtmıştır. Buna koşut olarak, Haliç'ten geçen kayıkların Saray'ın açığından dolaşmaları emredilmişse de, yakınmalar üzerine, bu garip yasak bir hafta sonra kaldırılmıştır.

17. yüzyılın diğer padişahları da yöreyi imar ettirmekten geri durmamışlardır. Nitekim o dönemlerde, Saray çevresindeki geniş koruluk ve bahçelerin bakımıyla görevli kalabalık bir hizmetliler kadrosunun varlığını, yine Evliya Çelebi'den öğrenmekteyiz.

Osmanlı devrinin çok sevilen bir spor dalı olan okçuluk, Saray'ın arkasındaki Okmeydanı sırtlarında yapıldığından, padişahlar sık sık buraya gelmekte ve Tersane Sarayı'nda kalmaktaydılar. Dolayısıyla, Saray ve korusu ile bahçeleri son derece bakımlıydı. Ancak IV. Mehmed döneminde (1648-1687), H. 1089 (1677) Muharrem ayı ortalarında, büyük bir felaket yaşandı. Harem'de çıkan yangın, kısa sürede burayı sarmış, oradan da Padişah Kasrı'na (Hasoda) atlamıştı. Silahdar Fındıklılı Mehmet Ağa, Vakayiname'sinde olayı anlatırken, bütün Saray halkının yangını söndürmeye çalıştığını, ancak duvarları yıkmak suretiyle afeti önleyebildiklerini yazmaktadır. Sultan IV. Mehmed, Saray'ın hemen onarılmasını emretmiş, gerçekten de inşaat kısa sürede tamamlanarak, Padişah H. 1090 / 1679 yılı Muharrem'inde, Polonya seferinden döndüğünde, Haliç'te kayıklarla yapılan geçit törenini, yeni Saray'ın kıyıdaki kafesli köşkünden izlemiştir.

18. yüzyıl başlarının İstanbul için özel bir önemi vardır. Bu önemi, asıl Yahya Kemal Beyatlı adlandırmış olmakla beraber, Tarihçi Ahmed Refik Altınay'ın, bir kitabına başlık yapmasıyla yerleşen "Lale Devri" deyimi anlatır. Lale Devri boyunca, Saray ve İstanbul halkı, Haliç ve Kâğıthane deresinin güzelliklerini alabildiğine yaşamıştır.

Aynalıkavak Sarayı.

c
f
f
e
g
d
f
g
f

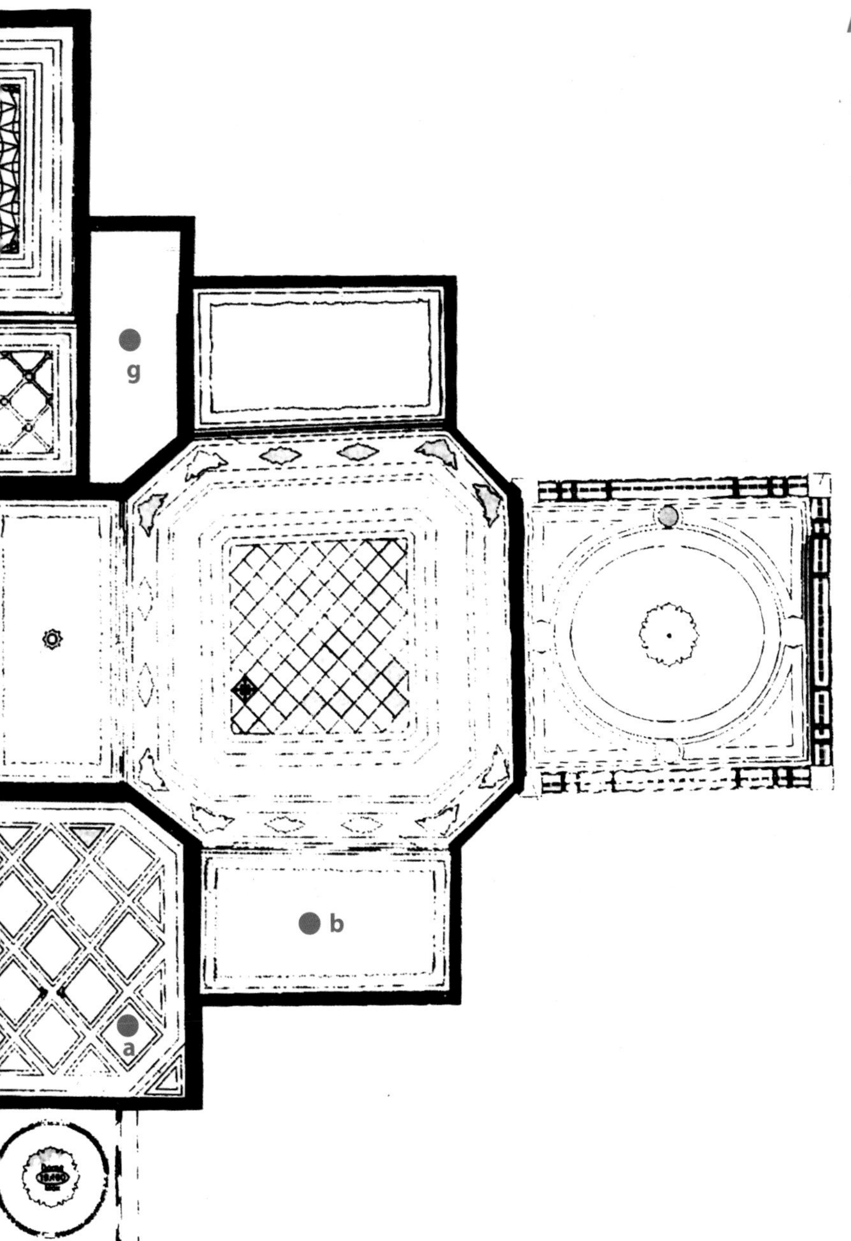

Aynalıkavak Kasrı Üst Kat Tavan Rölövesi, 1998

a Giriş Sofası,
b Divanhane,
c Beste Odası,
d Salon,
e Merdiven,
f Odalar,
g Helalar.

İsveçli mühendis Cornelius Loos'un deseninden, 18. yüzyıl başında Aynalıkavak Kasrı Valide Hamamı'nın zengin tavan ve iç süslemeleri.

Bu bağlamda, Haliç kıyılarının yukarı kesiminde, Haliç'e dökülen Alibey ve Kâğıthane derelerinin çevresinde, birbirinden güzel bahçeler, zarif köşkler ve kasırlar, muhteşem yalılar ve saraylar yapılmıştır. Doğal olarak aynı bölgedeki Tersane (veya Aynalıkavak) Sarayı da en parlak durumdaydı.

1696 yıllarında çıktığı doğu gezisinde, III. Ahmed (1704-1730) döneminde ve tam da Lale Devri'nde İstanbul'a gelen Aubry de la Motraye, Aynalıkavak Sarayı'na da girebilmişti. Onun yazdıklarına göre, Saray'ın Divanhanesi'nin büyük bir kısmı, suyun içine çakılı kazıklar üzerinde oturuyordu ve buradan Haliç'i gören güzel bir manzarayla karşılaşılıyordu. İç yüzeyi zengin nakışlarla bezeli geniş bir kubbe, bu salonu örtüyordu. Yan taraftaki odalar da aynı ölçüde süslüydü. Ayrıca bu bölümde, çok güzel bir hamam da bulunuyordu. La Motraye'in ziyareti sırasında çinileri onarılmış olduğuna göre, Saray'ın en azından bu bölümünde, duvarlar çiniyle kaplıydı.

Aynı yıllarda Saray'ın içine girerek bu Divanhane'nin ve hamamın resimlerini çizmiş olan İsveçli mühendis *Cornelius Loos* da, kubbe ve tavanlardaki zengin işlemeleri, duvar çinilerini desenlerinde belirtmiştir. Loos'un İstanbul'da iken çizdiği çeşitli resimler arasında birkaçı da bu sarayın iç görünümlerini aksettirir. Saray'ın bir büyük salonu ile hamamının iç görünümünün yer aldığı bu resimlerde, hamamın ve yanındaki helânın planından başka esas mekânın kesit halinde resmi de bulunmaktadır. Çok ayrıntılı olan bu resim iç süslemesi ve kubbe dekorasyonu hakkında bilgi verir.

H. 1132 / 1719 yılı Şaban ayında, Sultan III. Ahmed'in şehzadeleri için düzenlenen sünnet düğünü şenlikleri, on beş gün süreyle Okmeydanı'nda sürerken, Padişah da bütün harem halkıyla birlikte Aynalıkavak Sarayı'nda kalmıştır. Bu muhteşem olayı tasvir eden minyatürler, Seyyid Vehbi'nin (ö. 1736) Surname'sinde yer alır. Böylece, Aynalıkavak Sarayı'nın dış görünüşünü, bir Türk ressamının çizgileriyle de görmek mümkün olmaktadır.

Osmanlı Diplomasisinin Hizmetinde

Aynalıkavak Sarayı'nın tarihinde 18. yüzyıl oldukça hareketli bir döneme denk düşer. Sultan II. Osman'ın da (1754-1757) H. 1169 / 1755-56 yılında bir süre burada ikamet ettiği bilinmektedir. Osmanlı Devleti ile Rusya arasında H. 1193 / 1779 yılında imzalanan Küçük Kaynarca Antlaşması'nın bazı hükümlerinin açıklığa kavuşturulması için yapılan görüşmeler, Aynalıkavak Sarayı'nda cereyan etmiştir.

18. yüzyılın ikinci yarısında, Saray'ın, yabancı elçi ve temsilcilerle yapılacak görüşmelerde kullanıldığı, böylece bir tür "Hariciye Köşkü" konumuna geldiği görülür. Ahmed Vasıf Efendi'nin (ö. 1806) Vasıf Tarihi'nde, burada Rus ve İngiliz elçileriyle yapılan görüşmelere yer verilmektedir. Rus elçisi ile İstanbul kadısı ve reisülküttap H. 1179 / 1765 Muharrem'inde, yine aynı elçi ile sadrazam ve Kapudan Paşa ve diğerleri Sefer ayında bu Saray'da görüşmüşlerdir. Daha sonra burada, bu defa Avusturya (Nemçe) elçisiyle, kadı ve reisülküttap arasındaki pazarlıklar cereyan etmiştir. Bir başka önemli toplantı da, Saray'da, Sadrazam'ın huzurunda İngiliz elçisi ile yapılmıştır.

18. yüzyılın sonlarına doğru, Aynalıkavak Sarayı herhalde yer yer harap olmaya yüz tutmuş olmalıdır. Zira, Sultan I. Abdülhamid'in (1774-1789) son saltanat yıllarında, H. 1201 / 1787'de, Sadrazam Koca Yusuf Paşa, Saray'ı birkaç defa bizzat teftiş etmiş ve acele onarılmasını emretmesiyle H. 22 Şevval 1201 / 1787 tarihinde çalışmalara başlanmıştır. Şair Surûri'nin (1724-1814) Divan'ında bu onarımla ilgili düşülmüş tarihler vardır:

Ayândır her birinde müstakil târih-i cevherdâr
Sürûrî iki mısrâ yaptı ki beytü'l-kasîd oldu
Sarây-ı dilkeş-i Tersâne buldu zîb-i itmamı
Zehî matbû eser kim târih-i Han Abdülhamîd oldu

Aynalıkavak Kasrı Divanhanesi'nden genel görünüm.

Bir başka tarihin sonunda da şöyle denmektedir:

Hakkā ki buldu sâ'y-i cemîlinle âsafâ
Sâhilsarây-ı sâha-i Tersâne safveti
Tevcîh-i rûy-i pâk ile târîhe kıl nazar
Âyînelikavak ne güzel buldu sûreti sene 1199

Söz konusu onarımın ne derece önemli olduğunu bugün ne yazık ki tespit edemiyoruz.

Sultan III. Selim (1789-1808) burada yalnızca bir ilkbahar geçirmiştir. Onun saltanatının ilk yıllarında, Kaptan-ı Derya Küçük Hüseyin Paşa tarafından Saray'ın onarımına girişildiği bilinmektedir. Ancak bu onarım, önce yapılanın bir devamı mıdır, yoksa bugün görülen kasrın inşâsıyla mı ilgilidir, bilmiyoruz. Herhalde III. Selim'in emriyle, Tersane Sarayı'nın birçok bölümlerinin, bu arada Haliç kıyılarına ayrı bir güzellik katan Sahil Kasrı'nın yıktırılarak, bunlar yerine, eski Hasoda Köşkü'nün alanına ve kısmen de onun ana yapısı kullanılarak, şimdiki kasrın inşâsıyla ilgili olsa gerektir. A. I. Melling'in yazdığına göre, Fransız Elçisi General H. Sebastiani (1775-1851), 1806 yılında, Osmanlı saray adabına, teşrifat kurallarına ve geleneklerine aykırı olarak, kılıcını kuşanmış bir halde Padişah'ın huzuruna Tersane Köşkü'nde çıkmıştır. Bu köşk, yeni yapılan ve günümüze ulaşan bina olmalıdır.

Eski Tersane (veya Aynalıkavak) Sarayı'nın III. Selim tarafından yeniden düzenlenmesi sırasında, arazisinin büyük bölümü, giderek genişleyen tersaneye bırakılmış, yıkılan binanın taşları da karşı kıyıda, Eyüp'de, Mihrişah Valide Sultan Medrese ve Türbesi'nin yapımında kullanılmıştır.

Bugünkü Aynalıkavak Kasrı, başlangıcı I. Ahmed'e kadar inen ve bir zamanlar çok geniş bir alana yayılmış birçok binadan oluşmuşken, III. Selim'in ilk yıllarında, yalnızca bir yapısının, muhtemelen Hasoda Köşkü'nün iç mimar yönünden yeni baştan düzenlenmesiyle ortaya çıkmıştır. İç kapıların üstündeki kasidelerde Sultan Selim anılmakta ve H. 1206 / 1791/92 tarihi verilmektedir. Bu kasidelerden birinin şairi Enderunlu Fazıl, hattatı ise 19. yüzyılın ünlü ustalarından Yesari Mehmed Efendi'dir. Odalardan birinde, ahşap kaplamaya altın yaldızla işlenmiş olan tarih kasidesi, yine aynı yüzyılın büyük şairlerinden Şeyh Galib tarafından yazılmıştır. Bu manzume-tarih mısralarında, ebcedler değişik (1195 ve 1208) olmakla beraber, hepsinde de

Divanhane'nin revzenli tepe penceresi.

rakamla H. 1206 / 1791/92 tarihi okunmaktadır. Yeni Kasr'ın mimarı olarak Kirkor Balyan Kalfa (1767-1831) gösterilirse de, o tarihlerde henüz 23-24 yaşlarında olan Balyan'ın, Kasrı temelden itibaren gerçekleştirmiş olacağına ihtimal verilmez. Olsa olsa, ana yapısı 17-18. yüzyıllara dayanan binanın içinin, yeni zevke göre bezenmesine nezaret etmiştir.

Yeni Aynalıkavak Kasrı'nın, artık kıyı ile bağlantısı kesilmiş, Haliç yönüne yüksek bir duvar çekilerek, duvarla kıyı arasında tersane tesisleri kurulmuştur. Bu sanayi yapıları arasında, Hasbahçe'den kalabilmiş ağaçlarla çevrili Kasır, sanki bir vahada gibidir.

1876 yılı sonlarında, bir ay kadar sürmüş olan ve "Meclis-i Mükâleme" diye de bilinen "Tersane Konferansı"nın Aynalıkavak Kasrı'nda toplandığı söylenirse de, bu önemli toplantının Kasımpaşa'da, Bahriye Nezareti Divanhanesi'nde yapılmış olması daha gerçeğe uygundur. Nihayet, Birinci Dünya Savaşı yıllarında, Bahriye Nazırlığı sırasında Cemal Paşa, Kasr'ın bahçesinden bir bölümü daha tersaneye vermiş ve binayı onartırken, eski dönemlerden kalabilmiş son eklentileriyle birlikte muhtemelen harap bir haldeki hamamı da ortadan kaldırtmıştır.

Cumhuriyet döneminde, 1924 yılında Türk-İngiliz Musul Meselesi Konferansı'nın da toplandığı Aynalıkavak Kasrı, uzun bir süre Deniz Kuvvetleri'nin denetimi altında kaldıktan sonra, Milli Saraylar İdaresi'ne geçmiş ve yeniden onarılarak ziyarete açılmıştır.

Duvarlarında dönemin ünlü şairi Enderuni Fazıl'ın mısralarıyla Aynalıkavak Kasrı Divanhanesi

Solda yer alan bir kapıyla Divanhane'ye bağlanan Aynalıkavak Kasrı Beste Odası.

Sarayın Mimari Özellikleri

Eskiden oldukça geniş bir alana yayılan Aynalıkavak Sarayı'nın arazisi ve bahçesi üzerinde, önce II. Mahmud (1808-1839) döneminde bir takım sanayi yapıları yükselmeye başlamış, bu durum, II. Abdülhamid zamanına kadar sürmüştür.

H. 1236 / 1820/21 yılında, bahriye için sekiz değirmentaşı bulunan bir değirmen ile fırın ve ambarın yapımına girişilmiş ve inşaat kitabesine göre H. 1247 / 1831/32 yılında tamamlanmıştır. Sonradan yanan bu fırın ve değirmen, H. 1301 / 1883/84 yılında yeniden inşa edilmiştir.

Aynı arazide, H. 1249 / 1833/34'de, tel çekmeye mahsus bir haddehâne ile makine ve personel daireleri, bir de "Haddehâne Mektebi" denilen bir teknisyen okulu yapılmıştır. Bunlara H. 1249 / 1833/34'da dökümhane ve demirhane, H. 1267 / 1850/51 yılında, "Valide Kızağı", "Taşkızak", "Ağaçkızak" adlarıyla üç gemi çekek yeri ve bir kazan atölyesi, H. 1305 / 1887/88'de de çelik fırın ve modelhâne inşa edilmiş, böylece o güzel koru ve bahçeler, sanayi yapıları uğruna feda edilmiştir.

Surname-i Vehbi adlı yapıttan Haliç şenlikleri, Topkapı Sarayı Kitaplığı, y. 93 a.

1

Aynalıkavak Sarayı'nın eski dönemlerde, kıyıdan arka sırtlara kadar uzanan ve Haliç boyunca iki yana yayılan büyük bir koruluğu bulunuyordu. Ağaçlar arasında, Hasoda Kasrı'ndan başkaca, su üstüne çıkmalı bir köşk, bir hamam, muhtelif hizmet binaları yükseliyordu. Çevresi yüksek duvarlarla çevrili olan Saray arazisinin içinde birkaç havuz bulunduğu gibi, Hasköy taraflarında, saltanat kayıklarına mahsus küçük bir liman da vardı. Aynalıkavak Sarayı'nın en önemli bölümlerini gösteren resimler, Seyyid Vehbi'nin Surnâme'sini süsleyen minyatürlerdir. 18. yüzyıla ait bu resimlerde, Padişah, kısmen su üzerinde kurulu, geniş saçaklı, cephesinde boydan boya kafesli bir hayat (veranda) bulunan köşkte, Haliç'te düzenlenen şenlikleri seyrederken görünmektedir. Minyatürden anlaşıldığı kadarıyla, köşkün dış cephesi çinilerle kaplıdır. Bu kıyı köşkünün büyük salonunun ve bitişiğindeki hamamın içlerini, bütün ayrıntılarıyla betimleyen resimler ise, 1710'da geldiği İstanbul'da, son derece değerli desenler gerçekleştirmiş olan mühendis Loos tarafından çizilmiştir. Bu resimlerde, Kasr'ın duvar, kubbe ve tavan süslemeleri, selsebil, pencere ve dolapları, ocak yaşmağı, duvar çinileri, hatta yerdeki halılar bile ayrıntılarıyla gösterilmiştir. "Tersane Sarayı'nda Kadın Sultan'ın Hamamı" kaydı ile hamam planı, içi, çeşitli bölümleri, duvarlarındaki çiniler, tonoz ve kubbe işlemeleri de kâğıda geçirilmiştir. Loos'un desenlerinde, Aynalıkavak Sarayı'nın yalnızca bir pavyonu olan Hasoda Köşkü (veya Hünkâr Kasrı), 18. yüzyılda yapılan değişikliklerden önceki haliyle, I. Ahmed ve İbrahim'in zamanlarındaki görünüşüyle yer almaktadır. Loos'un İstanbul'da ve Osmanlı Devleti'nin başka yerlerinde çizdiği desenlerin çoğu seyahat dönüşü İsveç kralının yaşamakta olduğu Bender'de İsveçlilerle Osmanlılar arasında çıkan bir kargaşada baş gösteren

2

1 Surname-i Vehbi adlı yapıttan Levni minyatürü, Topkapı Sarayı Kitaplığı, y. 113 a.
2 Surname-i Vehbi'den minyatür, Topkapı Sarayı Kitaplığı, y, 90 a.

yangında yanmıştır. Kurtulabilen birkaç resim Stockholm'de bulunmaktadır ve bunlar Aynalıkavak Kasrı'nın mimarisi hakkında çok değerli birer belge teşkil ederler. Belki yananlar arasında da başka resimler vardı.

Fransız elçisi Comte Maria Gabriel de Choiseul-Gouffier'nin (1752-1817) büyük yapıtını süslemek üzere gravür olarak çizdirip yayımladığı resimlerde ise, Sahilsarayı'nın 18. yüzyıl sonlarında Haliç'ten görünüşü izlenmektedir. Başka Batılı ressamlar da Saray'ın resimlerini yapmışlardır. Bunlar arasında orijinal renkli bir gravür, en güzellerindendir. 1822 yılında Paris'te yayımlanan ve İstanbul'a hiç gelmemiş iki sanatkârın imzasını taşıyan bu gravür, muhtemelen Osmanlı başkentinde bir süre yaşamış bir gezgin ressamın çizdiği taslaklardan (eskiz) kopya edilmiştir. F. Hegi'nin (1774-1850) hak edip, A. Noel'in (1752-1834) renklendirdiği bu gravürde, akisleri suya vuran kıyı köşkü ile ulu ağaçlar arasından fark edilen diğer köşk ve yapılar mükemmel surette görünmektedir.

Topkapı Sarayı'ndaki küçük bir çekmecenin dış yüzünü ve kapağını süsleyen desenler arasında, Aynalıkavak'ın da bir resmi vardır.

III. Selim döneminde, 1803 yılına kadar İstanbul'da kalan, Saray ile yakın bağları olan ve hatta Padişah'ın kız kardeşi Hatice Sultan (1768-1822) ile dostluk kurarak, onunla Latin harfleriyle mektuplaşan ressam ve mimar A. I. Melling, büyük yapıtında, Aynalıkavak Sarayı'nı ancak bir gravürünün kenarında göstermiştir.

Bütün bu minyatür, desen, gravür ve resimlerde, Tersane'nin genişletilmesinden önceki Hasbahçe Kasrı hakkında, oldukça yeterli bir fikir sahibi olabilmekteyiz.

Bunlar dışında, Aynalıkavak Sarayı'nın henüz bütünlüğünü koruduğu yıllarda yazılmış iki arşiv belgesi de, bu büyük kompleksin genel düzeni hakkında bilgi vermektedir. Bunlardan birincisi, H. 1180 / 1766/67 tarihlidir ve "Aynalıkavak Saray-ı Hümâyûn'unda vaki Balıkhane Kasrı tabir olunan Kasr-ı Hümâyûn" hakkındaki bir keşif raporudur. Bu belgede, ahşap kubbeli bir kasır ile bitişiğindeki bir abdest odasından, iki tane Taht-ı Hümâyûn Kasrı ve hamamdan söz edilmekte, bunların onarımı için gerekli ödenek gösterilmektedir. Saffet Bey (1869-1913) tarafından Bahriye Arşivi'nde bulunan H. 1120 / 1805/06 tarihli ikinci belgede ise, Sarayın yıkılmadan önceki durumunu ortaya koymaktadır. Bu keşif belgesine göre, o sıralarda Aynalıkavak Sarayı arazisi içinde üçü büyük, üçü küçük altı köşk bulunmaktaydı. Bunlardan dördü Harem'de, ikisi Mâbeyn'dedir. Büyük köşklerden biri, çatısı kiremit örtülü, iki katlı Daire-i Hümâyûn'dur ve 1162 zîra yer kaplamaktadır, ikincisi,

Surname-i Vehbi adlı yapıttan bir minyatür, Topkapı Sarayı Kitaplığı, y. 126 a.

Cornelius Loos'un deseninde Aynalıkavak Sarayı'ndan iç mekân görünümü.

kurşun örtülü, içi işlemeli ve kıyıda 264 zîra yer kaplayan Namazgâh Köşkü'dür. Üçüncü köşk, 979 zîra büyüklüğündeki Hasoda Daire-i Hümâyûnu'dur. Saray'ın tamamı, 15.000 kare arşın büyüklüğünde bir alanı kaplamakta, arkada, setler halinde yükselen 9.000 kare arşın ölçüsünde bir bahçesi bulunmaktadır. Haliç'ten bakıldığında, 4.300 arşın uzunluğundaki iki katlı harem dairesi görülmektedir. Kurşun kaplı kubbeli, alemi ve feneri altın yaldızlı Hasoda'nın bir bölümü Divanhane'ye ayrılmıştır. Bu bölümün çevresinde, Enderun Dairesi ile hamam, daha ilerideyse Silahdar Ağa ve Hasodabaşı Daireleri yer almaktadır. Hasoda Köşkü ile kıyı arasında, birbirlerine geçitle bağlanmış küçük bir cami ve Namazgâh Köşkü bulunmaktadır. Kâgir Hazine Dairesi ile Hazinedar Ustalar Dairesi yan yanadır ve bunların yanı başında Darüssaâde Ağaları Dairesi vardır. Daha gerilerde de, Ağalar ve Bekçiler daireleri... Saray, meyilli bir arazi üzerine kurulu olduğundan setler halinde yükselmekte, dolayısıyla arkadaki binalar, hatta büyük havuz Haliç'ten görülebilmektedir.

Topkapı Sarayı olarak bilinen Saray-ı Cedid dışında, Haliç kıyısında en büyük saray kompleksi olan Aynalıkavak veya Tersane Sarayı, yukarıda belirtildiği gibi, yenileşme ve tekniğin ülkeye girmesi için çabalayan III. Selim tarafından, tersanenin

Topkapı Sarayı'nda bulunan çekmecede Avnalıkavak görünümleri.

Aynalıkavak Sarayı'ndan günümüze gelebilen tek yapı, bugün Aynalıkavak Kasrı olarak anılıyor.

genişletilmesi uğruna feda edildi. Geriye yalnızca, büyük Hasoda Köşkü, içi yeni baştan düzenlenerek bırakıldı. Böylece bu Kasır, artık hünkârın, harem ve saray halkıyla birlikte ilkbaharda yerleşip Haliç'te, Okmeydanı'nda yapılan gösterileri izlediği bir yer olmaktan çıktı. Bir askerî sanayi merkezine dönüşen Hasköy'de, ara sıra bu tesisleri ziyarete gelen padişahın kısa süre kaldığı bir "Biniş Kasrı"na dönüştü.

Aynalıkavak Kasrı, bugünkü biçimi itibariyle, uzun bir eksen üzerinde bulunan çifte Divanhane çevresinde kuruludur. Eksen ve sofaların bir tarafında Arz Odası, iki oda, iki helâ ve alt kata inen merdiven, diğer tarafta yine iki oda, hela ve giriş sofası bulunmaktadır. Bina meyilli arazi üzerine kurulu olduğundan, altta bir bod-

rum katı vardır. Okmeydanı yönündeki Divanhane'nin dışında, ileriye uzanan ve III. Selim döneminde yapılmış bir sundurma, üzerinde ise dilimli, ahşap bir kubbe görülür. Daha eski tarihli yapı elemanlarının üzerine, III. Selim zamanında kaplama uygulanmış, yeni zevke göre alçı pencere, duvar ve tavan süslemeleri işlenmiştir.

Aynalıkavak Kasrı'nda adını sedef kakmalı mobilyalarından alan "Sedefli Oda".

Saray'ın eski eşyalarından, yalnızca büyük bir avize, değerli bir mangal ve altın yaldızlı bir sedir kalmıştır. Bugün sergilenen eşyalar, Kasır, Bahriye Nezareti ve Deniz Kuvvetleri bünyesindeyken getirilmiş olup, oldukça yenidir.

Kasr'ın bahçesinin dışa açılan kapılarından Tersane Kapısı'nın üzerinde, pencereli ve yüksek kasnaklı bir kâgir mekân bulunmaktadır. Bu mekânın, padişahın tersaneyi seyredebilmesi için yapıldığı söylenmektedir. Bu ufak eklentinin Bizans mimarisi üslubunda oluşu, Türk sanatına 18. yüzyılda giren yabancı etkilerin bir işareti olarak kabul edilebilir. Bu pencereli kuleye çıkış o derece dar ve sıkıntılıdır ki, buranın padişaha mahsus olduğuna inanmak biraz zordur.

Kasr'ın önünde, eskiden etrafı parmaklıklarla çevrili olan, mermer rıhtımlı, büyük ve güzel bir havuz vardır. Bahçenin dışında, Okmeydanı kapısı karşısında ve bugün yolun karşı tarafında yer alan bir namazgâh ile güzel bir çeşme bulunuyordu. Namazgâh 27 Şubat 1956'da, yerine bir benzin istasyonu yapılsın diye mihrap taşı da kırılarak ortadan kaldırılmıştır. H. 1116 / 1704/05 tarihli, Sultan III. Ahmed adına olan çeşme ise, yarısına kadar toprağa gömülü olarak durmaktadır. Talik kitabesi, Dürri Ahmed Efendi'nindir. Bütün eldeki belgelerden ve bilinenlerin yardımıyla Prof. Sedat Eldem, bu Saray'ın ve Kasr'ın restitüsyonlarını ve rölövelerini çizerek yayınlamıştır.

Uzun yüzyıllar boyu, Haliç'in güzelliğine güzellik katan Aynalıkavak veya Tersane Sarayı'nın ihtişamından günümüze hiçbir iz kalmamışsa da, bugünün Aynalıkavak Kasrı, daha geç bir dönemden de gelse, o güzelliklerin son bir hatırası gibidir. Üstelik bu yapı, Türk köşk ve kasır mimarisinin, henüz eski geleneklerin kaybolmadığı son ve çok başarılı örneklerinden biri oluşuyla da sanat tarihimizde özel bir yere sahiptir.

Aynalıkavak Kasrı'nın Tersane yönünde bulunan salonu.

Kaynakça

Ahmet Vasıf Efendi, *Mebdsinü'l-Âsar ve Hakaikü'l-Ahbâr*, Yay: Mücteba İlgürel, İstanbul 1978, bkz. İndeks. ALPAGUT, A. Haydar, *Marmara'da Türkler*, İstanbul 1941.

De La Montaye, Aubry, *Voyages en Europe, Asie el Afrique..., La Haye, 1727: Ing. Travels throu gh Europe, Asia...*, London 1730/32.

DERMAN, Uğur, "Benzeri Olmayan Bir Sanat Albümü Gazneli Mahmud Mecmuası", *Türkiyemiz*, S. 14 1974, s. 17-21.

ELDEM, Sedat Hakkı, *Köşkler ve Kasırlar*, c. II, İstanbul 1974.

Evliya Çelebi, *Seyahatnâme*, İstanbul 1314.

Evliya Çelebi, *Seyahatnâme II,* Yay. Zuhuri Danışman, İstanbul 1969.

EYİCE, Semavi, "Bizans Hastanelerine Dair", *TAÇ*, 1/3 (Eylül), 1986, s. 5-15.

EYİCE, Semavi, "Aynalıkavak Sarayı", *TDV İslam Ansiklopedisi*, c. IV, s. 264-266.

EYİCE, Semavi, "III. Selim'in Tekniğe Feda Ettiği Eser Aynalıkavak Kasrı", *Sanat Dünyamız*, Yapı Kredi Bankası Yayınları, S. 37, (Temmuz) 1988, s. 24-31.

EYİCE, Semavi, "18. Yüzyılda İstanbul'da İsveçli Cornélius Loos ve İstanbul Resimleri (1710'da İstanbul)", *18. Yüzyılda Osmanlı Kültür Ortamı*, Sanat Tarihi Derneği Yayım: 3, İstanbul 1998.

KOÇU, Reşad Ekrem, "Aynalıkavak Sarayı", *Türkiyemiz*, S. 5, 1971, s. 20-26.

KONYALI, İ. Hakkı, "Aynalıkavak Kasrı", *Tarih Hazinesi II*, S. 13, 1951, s. 161-172.

MELLİNG, A. I., *Voyages Pittoresque de Constantinople et des Rives du Bosphore*, Paris, 1819, lev. 17 ve açıklaması (tıpkıbasımı, İstanbul 1969).

ÖNER, Sema, *Aynalıkavak Kasrı*, Milli Saraylar Daire Başkanlığı Yayınları, İstanbul 1994.

RENDA, Günsel, "Topkapı Sarayı Müzesindeki Dört Manzaralı Yazı Çekmecesi", *Sanat Dünyamız*, S. 9, (Ocak) 1977, s. 2-7.

ŞEHSUVAROĞLU, Haluk, "Aynalıkavak" maddesi, *İstanbul Ansiklopedisi*, c. III, 1960, s. 1610-1615.

TANIŞIK, İ. Hilmi, *İstanbul Çeşmeleri II*, No. 33, İstanbul 1945.

TUĞLACI, Pars, *Osmanlı Mimarlığında Batılaşma Dönemi Balyan Ailesi*, İstanbul 1981.

WESTHOLM, A., *Cornélius Loos*, Stockholm 1985.

Abdullah Fréres (1880 -1893)
Lot 9537 no. 31.

Ali Rıza Paşa (1880 -1893)
Lot 9515 no. 5

Aynalıkavak Kasrı Beste Odası Kasidesi: "Bir Buluşma Yeridir Şimdi Hüzünlerimiz"

Mehmet Kenan Kaya*

Zemin âteş zaman âteş bütün nakş u nigâr âteş
Şeyh Gâlib

18. yüzyıl sonu payitaht İstanbul'unun kültür tarihi, giderek 'gerçek kendi'nden uzaklaşmaya, Roland Barthes'ın deyişiyle 'ne o, ne öteki olmaya' hazırlanan, çalkantılar içindeki bir İmparatorluğun son klasik sayfalarından biri olarak okunabilir -ki ilk bakışta söylediği budur. Genel çerçevesiyle, Sultan III. Selim'in yakın çevresinde ve gelenekten zorunlu bir kopuşun getirdiği arada kalmışlıkla şekillenen bu geçiş tarihinin, dönemin entelijansiyasını da kesif ve kimi zaman naif bir duyarlılığa, Asaf Halet Çelebi'nin tespitinden[1] yola çıkarak söylemek gerekirse, manevi bir sığınışa, bir çeşit 'zaman' ve 'dünya' terkine sevk ettiğini söylemek mümkün.

Bu tavır, tarihçilerin, miladını 16. yüzyıl olarak belirledikleri ve aradan geçen iki yüzyıl boyunca giderek hızlanan çöküşten, Fransız İhtilali'nin öngördüğü, ulus-devlet fikrinden kaynak bulan ayrışmalardan ve halkın içine sürüklendiği büyük yoksulluktan bir kaçış olarak anlaşılabilir. Bunu düşünürken belki, başta Sultan Selim olmak üzere, Şeyh Gâlib, Esrar Dede, Hammamizâde İsmail Dede Efendi, Sadullah Ağa, Abdülbâki Dede gibi birçok sanatçının tasavvuf ehli oluşlarını hatırlamakta yarar var.

Sultan III. Selim: Bir "Râh-ı Nev"

Merkezinde Sultan Selim'in durduğu daha çok onun kişisel eğilimleri, sanatçı kimliği ve bir inanç adamı olmasıyla belirlenen bu geçiş döneminin sanata yansıması da ilginç sonuçlar doğurmuştur. Sultan III. Selim Şem'dânî-zâde Tarihi'ne göre[2] 24 Aralık 1761 tarihinde İstanbul'da, Sultan III. Mustafa'nın, Mihrişah Sultan'dan, ilk şehzadesi olarak doğar ve ekber evlat sisteminin getirdiği zorunluluk sonucu

* Sanat Tarihçisi, Gazeteci
Bu makale 1999 yılı, MS Sayı 1'de yayınlanan makaleden düzenlenerek alınmıştır.

Kapıdağlı Konstantin,

Sultan III. Selim,

Topkapı Sarayı Koleksiyonu, (MS1).

Aynalıkavak Sarayı,
Choisseul Gouffier,
"Voyage pittoresque de la Grece",
Paris 1822.

1

cülûsuna kadar Topkapı Sarayı Kafes Dairesi'nde yaşar. Şehzadeliği boyunca bir yandan, özü, Yeniçeri Ocağını kaldırmak, ulemanın nüfuzunu kırmak, Osmanlı Devleti'ni Avrupa'nın ilim, sanat, ziraat, ticaret ve medeniyette yaptığı ilerlemelere ortak yapmaya[3] dayanan bir yenilik projesini kurgulamaya çalışırken; bir yandan da Kırımî Ahmet Kamil'den ses, Ortaköylü İshak Ağa'dan da tambur dersleri alarak, ney ve tambur çalmayı öğrenir.[4]

Sultan Selim'in mesenlik rolünün bu geçiş döneminde başladığı, birçok bestekârı saray çevresinde topladığı, tahta çıkışından sonra da saray meşkhânesini yeniden düzenleyerek o zamana kadar yevmiye sistemiyle çalışan sanatçıları düzenli bir aylığa bağladığı biliniyor. Abdülhalim Ağa, Varkosta Ahmed Ağa, Kaçak Mehmet Ağa, Sadullah Ağa, Emin Ağa, Numan Ağa, Şakir Ağa, Kömürcüzade Hafız Efendi bu dönemde Sultan Selim'in çevresinde yer alan ünlü sanatçılardır.[5]

Şüphesiz, bütün bu sanatçılar, besteleri ve terkip ettiği makamlarla Türk Musikisi'nde yaklaşık yüz elli yıl sürecek bir ekol oluşturmuş, "İlhamî" mahlasıyla şiirler yazmış, Sultan Selim'in zihinsel gelişimine büyük katkılar sağlamışlardır. Ama onu belki de bütün hayatı boyunca gerek sanatı, gerekse kişiliğiyle etkilemiş bir tek sanatçı vardır: Şeyh Gâlib.

Gâlib: Eser-i Aşk

Dilâver Ağazâde Vahîd'in 'eser-i aşk' terkibine göre, 1757 yılında, İstanbul'da, Yenikapı Mevlevî Dergâhı civarında bir evde doğan Şeyh Gâlib[6], eğitimini önce Melamî-meşrep bir Mevlevî ve ihtimal şair olan babası Mustafa Reşid'ten sonra Nakşı Neş'et Süleyman'dan alır.[7] İlk gençliğinde, belki de ailesindeki köklü Mevlevî gelenekten dolayı Mevlevîliğe ilgi duyar ve sonunda Konya'ya, Mevlevî asitanesine giderek çile doldurmaya başlar. Gâlib'in Konya'da ne kadar kaldığına ilişkin kesin bir bilgi yoksa da, birkaç ay sonra, kendisinden ayrı kalmaya dayanamayan babası Mustafa Reşid'in, asitanenin postnişini Ebubekir Çelebi'den aldığı izinle yeniden İstanbul'a döndüğünü ve bin bir günlük çilesini

Yenikapı Mevlevîhânesi'nde tamamladığını söylemek mümkün.

Gâlib, o sıralarda otuz yaşında olmalıdır ve dört yıl önce yazdığı Hüsn-ü Aşk mesnevisi, Nabi'den beri kilitli duran, Hilmi Yavuz'un deyişiyle artık bir 'belagat' sanatına dönüşmüş[8] Osmanlı şiirinin kapısını çoktan açmıştır. Öyle ki, payitahtın dört bir yanındaki hattatlar, Türkçe'nin başyapıtlarından biri olan Hüsn-ü Aşk mesnevisini çoğaltıp, 'benî muhabbet' kabilesinin iki güzel çocuğu 'Hüsn ile Aşk'ın 'kalp şehri'ne varışlarını yeniden anlattıkça, onun ünü de sarayın ağır surları ardındaki Sultan Selim'e kadar ulaşacaktır.

2

Şeyh Gâlib'le Sultan Selim'in ilk karşılaşmaları, Hüsn-ü Aşk mesnevisini okuyup, Gâlib'e hayran kalan Sultan'ın Mevlana Celâleddin Türbesi'ne konulacak bir pûşide için Gâlib'ten bir beyit yazmasını istemesine dayanır. Divânındaki

3

1 Orijinali Paris Bibliotheque Nationale'de bulunan bir minyatürde, 18. yüzyılın önemli şairi Şeyh Gâlib (Desen: Gülbün Mesara).
2 Sultan II. Beyazid döneminde kurulan ve Şeyh Gâlib'in postnişinliğinde en parlak dönemini yaşayan Galata Mevlevîhânesi.
3 Galata Mevlevîhânesi Semahânesi.

'Yâd eylemez olduk haber-i Yûsuf-ı Mısrı
Südlücede bir mâh ile şîr ü şekeriz biz'[9]

beytiyle son bulan gazelinden anlaşıldığına göre, o zamanlar Sütlüce'de, 16. yüzyılın önemli Mevlevî dervişlerinden Yusuf Sîne-Çâk'ın kabrine bakan bir evde inzivaya çekilmiş olan Gâlib, bugün Galata Mevlevîhânesi ya da halk arasında Gâlib Dede Tekkesi olarak bilinen Kulekapısı Mevlevîhânesi'ne şeyh atanana kadar da burada yaşamış olmalıdır.

Pûşîdeye gelince... Gâlib, Sultan'ın ricasını kırmamış, hatta bir beyit yerine,

'Müceddid olduğu Sultân Selîm'in dîn ü dünyâya
Nümâyandır bu nev-pûşîdesinden kabr-i Monlâya'[10]

beytinin tekrarlandığı uzun bir terci-i bend yazmıştır. Ve sonra başkalarını...[11] Zaten, o eski zaman masalının miladı da budur.

Kulekapısı Mevlevîhânesi meşihat makamına, 1791 yılının güneşli bir haziran günü, o sıralar yüz dört yaşını devirmiş ve çelebilikten azledilmiş Numan Dede'nin yerine atanan Gâlib, bu üç yüz yılın yorgunluğuyla harap düşmüş ve biraz da tuhaf bir yer seçimiyle Ceneviz surlarının hemen dışına, Sultan II. Bayezid'in ünlü veziri İskender Paşa'nın[12] av çiftliğine kurulmuş Mevlevîhâne'de, ölümü ardından, *'Birkaç zaman muammer olaydı ne vâr idi'* diye yazacağı, ömrünün en güzel tesadüfü Esrar Dede'yle tanışır. Esrar Dede, Mevlevîhâne'nin tezkirecisi ve tıpkı Gâlib gibi dönemin önemli şairlerinden biridir.

Sultan Selim'in iktidarı boyunca en büyük hedefi olan Nizam-ı Cedid hareketinin önemli kurumlarından biri durumuna gelen ve bu yüzden de askerî ve idari alanlardaki yeniliklere karşı tutucu davranan Bektaşiliğe karşı bizzat Sultan tarafından öne çıkarılan[13] İstanbul Mevlevîliği ve buna bağlı olarak da Galata Mevlevîhânesi, Şeyh Gâlib'in postnişinliği süresinde, Gâlib ve Esrar Dede'nin kişiliklerinde belki de tarihinin en parlak dönemini yaşar. Bu dönemde, Gâlib'in, büyük ihtimalle babası Mustafa Reşid Efendi yoluyla bağlandığı Melâmî meşrebinin de etkisiyle, mevlevî terminolojisinde Şems kolu olarak adlandırılan coşkun tasavvuf anlayışı dergâha hâkim olur.[14]

Aynı yıl, Ayıntablı Aynî Efendi'nin H. 1206/1791 tarihini veren, *'Nefesle döndü Adn-âbada yahu mevlevîhâne'*[15] dizesinden anlaşıldığı gibi Mevlevîhâne'nin büyük bir onarım geçirmesi de, hem bu politik tavrın hem de Gâlib'le Sultan Selim arasındaki ilişkinin bir sonucu olmalıdır. Gâlib, artık Saraya istediği zaman girip çıkabilmekte, Sultan Selim de Galata Mevlevîhânesi'ni daha sık ziyaret etmektedir. Öyle ki, Asaf Halet Çelebi, 1957 yılında "Türk Yurdu" dergisinde yayımlanan bir makalesinde, Gâlib'le Sultan arasındaki bu dostluğun, Sultan Selim'in başını Şeyh Gâlib'in dizine yaslayarak onun okuduğu şiirleri dinlemesine dek vardığını anlatır.[16]

Nev: Ateşten Bir Sözcük

1206 yılı, hem İmparatorluğun hem de Gâlib'le Sultan Selim'in özel tarihlerinde önemli bir yer tutar. Sultan Selim'in Şeyh Gâlib'e gördüğü rüyaları anlatırken, her iyi alameti Yeniçeri Ocağı'nın kaldırılmasına bağlamasından da anlaşılabileceği gibi, zihnindeki tek mesele, artık bir ordu olmaktan çok canına kast eden bir çeteye dönüşmüş bu ocağın kaldırılması ve artık eski kurallarla işlemeyeceği anlaşılan İmparatorluğun bir reforma tâbi tutulması gereğidir. Aynı yıl, Sultan Selim'in emriyle Aynalıkavak Kasrı'nda birbirini izleyen birtakım onarım faaliyetlerinin yürütülmesi ve Sultan'ın Topkapı Sarayı'ndan sık sık ayrılarak, Haliç kıyılarındaki bu Kasr'a kapanışı, belki de, üç yüz yıllık yönetim tarihinde aynı zamanda büyük ihanetlerin, entrikaların, peş peşe gelen hal'ler ve ölümlerin tarihi olarak da okunabilecek Topkapı Sarayı'ndan kaçıp kurtulmak çabasının bir sonucudur.

"Bir Buluşma Yeridir Şimdi Hüzünlerimiz"

Sultan Selim'in kısa süreli konaklamaları dışında bir bahar boyunca yaşadığı da bilinen Aynalıkavak Kasrı, Naima Tarihi'ne göre, Sultan I. Ahmed (1603-1617)'in Edirne Sarayı'nda çıkardığı bir ferman sonucu yapılmış ve geçen zaman içinde bulunduğu alanla birlikte sürekli imar edilerek önemli bir sultan yerleşimi durumuna gelmiştir.

H. 1199 tarihinde, Sultan I. Abdülhamid tarafından yapılan onarımdan sonra, Sultan Selim döneminde tek bir yapıya indirgenip, sahip olduğu arazinin büyük bir kısmı da tersane alanına ayrılan Kasır, Semavi Eyice'ye göre, bu dönemde Hasoda Köşkü'nün iç mimari yönünden düzenlenmesiyle yeniden ele alınmış ve kıyı ile bağlantısı kesilerek, yüksek bir duvarla tersane alanından koparılmıştır. Yapının dönemin yeni zevkine göre yapılan iç düzenlemesini ise, o sıralar yirmili yaşlarını henüz ortalamış olan Kirkor Balyan üstlenmiş olmalıdır.[17]

Haliç'in kuzey yakasında ve deyiş yerindeyse dünyanın hây-u huyundan tecrid edilmiş bu Kasırda Sultanın en fazla itibar ettiği yerin, bir kapı açıklığıyla Divanhane'ye bağlanan ve neredeyse gizlenmiş bir mekân özelliği taşıyan 'beste odası' olduğunu kestirmek güç değil. Revzenli tepe pencereleri, yaldızlı tavanları, sedirleriyle, geleneksel mimarinin son örneklerinden biri olan ama aynı zamanda Batı tarzı süslemeleriyle de tıpkı İmparatorluk gibi zorlu bir geçişin eşiğinde duran bu oda, bugün sanat tarihi için olduğu kadar, Sultan Selim'in birçok bestesini yaptığı mekân olması nedeniyle, Osmanlı kültür tarihi için de büyük önem taşıyor.

Sultanın 'beste odası'na olan düşkünlüğüne gelince... O da bizi yine Şeyh Gâlib'e, Gâlib'in, Sultan Selim'in Aynalıkavak Kasrı'nda gerçekleştirdiği onarım faaliyetlerini anlattığı bir kasideye götürüyor. Bugün Hattat Mehmed El Yesarî'nin benzersiz üslûbuyla 'beste odası'nın duvarlarını çepeçevre saran ta'lik hat, Şeyh Gâlib'in Aynalıkavak Kasrı için yazdığı bir kaside olarak da okunabilir, Selim'le Gâlib arasındaki dostluğun bir vesikası olarak da...

1

1 Sultan III. Selim döneminde Aynalıkavak Sarayı'nın geçirdiği değişimde büyük etkisi olan Tersane'nin bugünkü görünümü.
2 Eski bir gravürde Aynalıkavak Kasrı.
3 Aynalıkavak Kasrı Beste Odası.

2

3

Okmeydânı Tekyesi Ta'mîrinde Zât-ı Pâk-i Şâhâne İçün Müceddeden Binâ Olunan Kasr-ı Hümâyûn Vasfında Târîh-i Ra'nâ ve Kasîde-i Bî-bedel ü Zîbâlarıdır

Şehin-şâh-ı cihân Sultân Selîm-i ma'delet-mu'tâd
Ki oldur eyleyen cümle ibâdı gussadan âzâd

Mürûr-ı dehr ile pek indirâsa mâil olmuşdu
Esâs-ı devlete şimdi yeniden kurdu nev-bünyâd

Nizâm-ı evvelin buldurmadır dünyâya maksûdu
Cihangîr-i zamândır şübhesiz Allah ede imdâd

Nazar kim eylese bir cânibe ma'mûr olur fi'l-hâl
Hemân ednâ nigâhıyle yapar bî-zahmet üstâd

Husûsâ işte bu kasr-ı mu'allâ-tâk-ı ra'nâyı
Edüb izhâr-ı kudret bir nefesle eyledi âbâd

Ne kasr ammâ ki hayret-bahş-ı nüzzâr-ı hayâl-endîş
Eğer reng-i bahârı sürse tasvîr edemez Bihzâd

Ne kasr ammâ ki heft-evreng-i Husrev nakş-ı dîvârı
Nizâm ü intizâmı dâsitân-ı huldü eyler yâd

Ne kasr ammâ ki düşse sâyesinden terbiyet kâne
Olur cây-ı zuhûr-ı mürg-ı ankā beyze-i fûlâd

Safâ-yı sahnını seyr eylese mir'ât-ı ru'yâda
Şaşırmış kûy-i Şîrîn-cûy-i şîri terk eder Ferhâd

Edüb burc-i Hamel'den mihr-i âlem hüsnünü tahsîn
Kılub yüz sürmeğe der-bândan eyler dâim istimdâd

İçinde cilve-ger kutb-ı zamân ol şâh-ı devrândır
Sezâdır çâr rüknün dense ber-dûş eylemiş evtâd

Bu ma'nâ fehm olur meydân-ı tîre nâzır olmakdan
Ki dâim kavs-ı kudret zûr-ı bâzûsun eder müzdâd

Nişângâh eyleyüb hizmetde kāim ehl-i ma'nâyı
Eder ihsâna dâir mısra'-ı bercesteler inşâd

Bi-hamdillah ki etdi yek nigâhın kadrimiz terfi'
Du'â-yı devletindir her dem ezkâr-ı dil-i nâ-şâd

Kusûrum afv kıl şevketli hünkârım sürûrumdan
Unutdum medh ü tavsîfi hulûsum eyledim îrâd

Söz olmaz pâdişâh-ı kadr-dânsın neylesün şâ'ir
Yazub evsâfın etsün kankı bir ihsânını ta'dâd

Hemîşe böyle kasr-ı bî-müdânîde safâlarla
Ede Allah ömr ü devletin reşk-âver-i ecdâd

Dedim târîhin Okmeydânı'nı hulyâ ile Gālib
Mübârek pâdişâh-ı âleme bu kasr-ı nev-îcâd

Şeyh Gālib

1

İçinde cilve-ger kutb-ı zamân ol şâh-ı devrândır
Sezâdır çâr rüknün dense ber-dûş eylemiş evtâd

2

Bu ma'nâ fehm olur meydân-ı tîre nâzır olmakdan
Ki dâim kavs-ı kudret zûr-ı bâzûsun eder müzdâd

3

Dedim târîhin Okmeydânı'nı hulyâ ile Gâlib

1-2-3 Hattat Mehmed Esad Yesârî'nin ta'lik hattıyla Aynalıkavak Kasrı Beste Odası Kasidesi'nin 11, 12. beyitleri ile 18. beyitin ilk mısraı.

"Kuğunun Son Şarkısı"

Gâlib'in Aynalıkavak Kasrı'ndaki onarımdan çok Sultan Selim'i anlattığı, ama yine de, 'Seni övmeyi ve anlatmayı unuttum, söz götürmez bir padişahsın, şair ne yapsın' (bkz: 15. ve 16. beyitler) sözleriyle yine ondan af dilediği bu on sekiz beyitlik kaside, aslında, Gâlib'in Sultan için yazdığı tek eser de değil. Saadettin Nüzhet'in *Şeyh Gâlib* adlı kitabında;

"Baharın gelmesi, bir mehtap âlemi, bir kış, bir bayram, askerî bir muvaffakiyet yahut bir musalâha, şaire şükran vesilesi olmuştur. Selim'in vücuda getirdiği her müessese için Gâlib uzun medhiyeler, tarihler tanzim etmiş ve onun müceddidliğini her kasidesinde, her tarihinde bir nakarat gibi tekrar etmiştir. Gâlib'e muasır olan şairlerden hiçbiri onun kadar padişahın takdir ve teveccühüne mazhar olmamıştı,"[18]

sözleriyle anlattığı bu durum, bugün Gâlib divanına, Sultan Selim için yazılmış, on bir kaside, yirmi dört tarih, bir terci-i bend, bir şarkı, iki mesnevi ve altı beyitle yansımış görünüyor.[19]

Peki, Gâlib'in Sultan'a gösterdiği bu büyük teveccüh, Sultan Selim'in cihan imparatoru kimliğinde ve o kimliğin öneminde mi aranmalıdır? Bunun yanıtı da, Gâlib'in, Sultan Selim'den birkaç küçük maddi yardım ve karşılığı

'Bana Sultân Selîm-i kâmver kâm-ı cihan verdi
Bütün dünyâ değer bir genc-i hâs-ı râygân verdi'

beytiyle başlayan zarif bir kasideyle ödenmiş bir Mesnevi'den başka pek bir ihsan görmemiş olmasında yatıyor. Yine bu noktada, Gâlib'in, Selim'in halefi ve amcası olan Sultan I. Abdülhamid için tek bir beyit yazmamış olması ve Sultan Selim dolayısıyla artan ününden duyduğu 'gizli rahatsızlık' da dikkat çekici. Başka bir deyişle, tarihin Okmeydanı'nı ve Sultan Selim'i elbet, hülya içinde söyleyen Gâlib'in sesi, bir makam ve mevki dillenmesinden çok, Beşir Ayvazoğlu'nun sözleriyle 'kuğu'nun yani medeniyetimizin, son güzel şarkısı' olarak anlaşılmalı. Beş yüz yıl boyunca devam eden ve artık klasikleşmiş bir kültürün, yeni ve başka bir şarkı ararken söylediği ve bütünüyle kendi olan son şarkısı...

Gâlib'le Selim'in Sonu: Bir gün ben de derya sıfat hâmuş olursam akıbet...

H. 1213 / 1799 Receb'inin Mirâc Kandili'ne rastlayan yirmi yedinci Cuma gecesi, şair Surûri'nin ebcedle yazdığı *'Geçdi Gâlib Dede candan ya Hu'* dizesinin şimdi bize söylediği, o eski zaman masalının sonudur aslında. O gece, iki yıl önce *'Esrârım aldı cümle dil ü canım aldı mevt'* diyerek uğurladığı Esrar Dede'nin ardından, Kulekapısı Mevlevîhânesi'nde kırk iki yaşında hamûş olan Gâlib, ardında geleneksel edebiyatın son ve belki aşılmaz sözlerini bırakarak, çalkantılar içindeki bir İmparatorluk'tan düşlerindeki Şiraz'ın gül bahçesine, o tek ve bir olan Sevgili'nin yanına uğurlandı.

Gâlib'in ölümünden sekiz yıl sonra tahttan indirilen Sultan Selim ise, hal'inden bir yıl sonra ömrü boyunca yenileştirmeye çalıştığı eski düzen tarafından, Topkapı Sarayı'nda ney üflerken hançerlenerek öldürüldü.

Şimdi onlardan geriye, sanırım şarkılar, şiirler ve derin bir ima kaldı...

Dipnotlar

1 Asaf Halet Çelebi, *Bütün Yazıları,* Haz. Hakan Sazyek, Yapı Kredi Yayınları, İstanbul 1997, s. 393.
2 Bülent Aksoy, "III. Selim", *Dünden Bugüne İstanbul Ansiklopedisi,* c. VI, Kültür Bakanlığı - Tarih Vakfı Ortak Yayım, İstanbul 1994, s. 511.
3 Enver Ziya Karal, *Osmanlı Tarihi*, c. V, Türk Tarih Kurumu Yayınları, Ankara 1988, s. 61.
4 Vural Sözer, "III. Selim", *Müzik Ansiklopedisi,* Remzi Kitabevi, İstanbul 1996, s. 725.
5 Aksoy, *a.g.e.,* s. 511.
6 Saadettin Nüzhet Ergün, *Şeyh Gâlib,* İstanbul 1935, s. 13.
7 "Şeyh Gâlib", *İslâm Ansiklopedisi,* c. XI, Milli Eğitim Basımevi, s. 462.
8 Hilmi Yavuz, *Yazın Üzerine,* Bağlam Yayınları, İstanbul 1987, s. 91.
9 Muhsin Kalkışım, *Şeyh Gâlîb Dîvânı*, Akçağ Yayınları, Ankara 1994, s. 310.
10 Muhsin Kalkışım, *a.g.e.*, s. 170-172.
11 Şeyh Galib'in divanında, Sultan III. Selim için yazılmış on bir kaside, yirmi dört tarih, bir terci-i bend, bir şarkı, iki mernevî ve altı beyit vardır. Bkz. Muhsin Kalkışım, *Şeyh Galîb Dîvânı*, Akçağ Yayınları, Ankara 1994; Beşir Ayvazoğlu, *Kuğunun Son Şarkısı*, Ötüken Yayınları, İstanbul 1999, s.67.
12 Hüseyin Ayvansarayî, *Vefeyât-ı Selâtîn ve Meşâhîr-i Rical,* İstanbul 1978, s. 76.
13 Ekrem Işın, "İstanbul'un Mistik Tarihi'nde Mevlevîhâneler", *İstanbul,* S. 4, Tarih Vakfı Yayınları, İstanbul 1993, s. 122.

14 Ekrem Işın, *a.g. e,* s. 122.
15 Asaf Halet Çelebi, *a.g.e,* s. 410.
16 Asaf Halet Çelebi, *a.g.e,* s. 414.
17 Semavi Eyice, "III. Selim'in Tekniği Feda Ettiği Eser Aynalıkavak Kasrı", *Sanat Dünyamız*, Yapı Kredi Yayınları, S. 37, İstanbul (Temmuz) 1998, s. 24-31.
18 Saadettin Nüzhet Ergün, *Şeyh Gâlib*, İstanbul 1935, s.39
19 Beşir Ayvazoğlu, *Kuğunun Son Şarkısı*, Ötüken Yayınları, İstanbul 1999, s. 67.

Kaynakça

AYVANSARAYÎ, Hüseyin, *Vefeyât-ı Selâtîn ve Meşâhîr-i Rical*, İstanbul 1978.
AYVAZOĞLU, Beşir, *Kuğunun Son Şarkısı,* Ötüken Yayınları, İstanbul 1999.
BÜLENT, Aksoy, "III. Selim", *Dünden Bugüne İstanbul Ansiklopedisi*, c. VI, Kültür Bakanlığı - Tarih Vakfı Ortak Yayını, İstanbul 1994.
ÇELEBİ, Asaf Halet, *Bütün Yazıları*, Haz. Hakan Sazyek, Yapı Kredi Yayınları, İstanbul 1997.
Dîvân-ı Şeyh Gâlib Kuddise Sırrehu, Matbaa-i Bulak, Mısır 1252.
ERGÜN, Saadettin Nüzhet, *Şeyh Gâlib,* İstanbul 1935.
EYİCE, Semavi, "III. Selim'in Tekniği Feda Ettiği Eser Aynalıkavak Kasrı", *Sanat Dünyamız,* Yapı Kredi Yayınları, S. 37, İstanbul (Temmuz) 1998.
IŞIN, Ekrem, "İstanbul'un Mistik Tarihi'nde Mevlevîhâneler", *İstanbul*, S.4, Tarih Vakfı Yayınları, İstanbul 1993.
İslam Ansiklopedisi, "Şeyh Gâlib", c. XI, Milli Eğitim Basımevi.
KALKIŞIM, Muhsin, *Şeyh Gâlîb Dîvânı,* Akçağ Yayınları, Ankara 1994.
KARAL, Enver Ziya, Osmanlı Tarihi, c.V, Türk Tarih Kurumu Yayınları, Ankara 1988.
SÖZER, Vural, "III. Selim", *Müzik Ansiklopedisi*, Remzi Kitabevi, İstanbul 1996.
YAVUZ, Hilmi, *Yazın Üzerine*, Bağlam Yayınları, İstanbul1987.

III. Selim'in ve Türk Müziğinin İzinden Aynalıkavak

Şule Gürbüz*

On sekizinci asır, Türk müziğiyle ilgili büyük usullerin, büyük bestekârların, nadide peşrevlerin, sazların icrasındaki şimdi söze dökülmesi dahi kolay olmayan sadeliğin, hiçbir süsü, fazlalığı kabul etmeyen kendi tamlığı ve olmuşluğu içindeki zarif salınımı ile ele geçmez büyük bir rüyadır. Çoğu musiki bilir ve sever için Türk müziğinin şahikası olan bu devir, özellikle büyük usullü eserlerde görülen sık, birbiri içine girmiş eklemli ve derin dokusuyla nüfuzu pek kolay olmayan ama nüfuz ettikten sonra insanı ağır bir hamakta sonu gelmezcesine sallayan ve bu tavrı ile dahi bir sonsuzluk alameti gibi duran eserlerin zamanıdır. On sekizinci asrın öncesinin Türk musikisi adına yapılan incelemeleri biraz bulanık iken, bu devir eserlerin ve bestekârların kudreti, yapılan incelemeleri, hakkında yazılan yazıları zayıf kılmış, eserlerin süs kaldırmayışı gibi açıklayıcı olma gayretindeki sözlerde eserlerin söze tahammül göstermeyen, sözü cılızlaştıran rengin tavrı ile dinleyeni sarmış, söyleyeni soldurmuştur.

Bu dönem daha öncekileri -elbet Itri'nin elleri, gölgesi, sesi ve heybetinin ardından-arkasına almakla beraber kendi tamlığını ve hülyasını kurmanın eşkâlinde olup sonrasında benzerini yapmanın pek sakil olduğu, ağır ve başka türlü akan bir zamana ve duyuş sahiplerine ait olduğunu hissettiren yavaş başlamış, bir müddet kıvamında durmuş, Dede ile ölüm iyiliğine tutulup âlem değiştirmiştir. Meragi ile Gazi Giray Han ile ağır ve vakarla ilerleyen Türk müziği beste ve icraları, Nayî Osman Dede'den Zaharya'ya, Enfî Hasan Ağa'dan Vardakosta Ahmet Ağa'ya hep bir devam, kesintisiz bir kudret, ivmesi hiç düşmeyen bir süreklilikle akmıştır. On yedi, on sekizinci yüzyıllar ve bu devirlerin büyük bestekârları birbirlerinin dede-

* Müze Araştırmacısı, Milli Saraylar

si, babası ve kardeşleridir. Akrabalıklar derhal hissedilir. Sonraki, on dokuzuncu yüzyıl başı, ortası bir tuhaf zaman olmakla beraber on dokuzuncu yüzyıl sonu ile âlemden âleme katmanların oluştuğu ve artık bir birine "bu" ve "o" diye hitap edilecek bir nezaket mesafesi kurulmuştur. Nezaketi gösteren on dokuzuncu yüzyıl, buna tahammül gösteren on sekizinci yüzyıldır. Şarkı formunda güzel eserler meydana getiren on dokuzuncu yüzyıl bestecileri ile Hafız Post arasındaki akrabalık pek sezilmese de başka nesep aranacak gibi de değildir. İşitilen eserlerin nereden gelip kimi muhatap aradığını sezememek hali, yirminci yüzyıla ait bir keder olarak duyulmuş, kederi duyan babayı dedeyi kaybeden, kederleneni garipseyense dedesi olmak nedir bilmeyendir. Bir duyuşun, işitilen seslerin, hayat ve sanat algısının elli, altmış yılda nasıl kayıba, ziyana ve başkalığa uğradığı ve gidenin ne kadar aransa artık hiç bulunmayacak yerlerde olduğu aşikârdır.

Haliç tarafından Aynalıkavak Kasrı.

1

Büyük usulleri ağır ve taşıması güç bulmamak, çok uzun ibadetlerden usanç ve kibir duymamak kadar zordur. Onlardan bir şey beklemeyecek tabilikte ve onları zaten bir olması gereken samimiyetinde duymak, devrin ve insanlarının başında dönen haledendir. Yaparken bir yandan takdirkâr bakışlar aramayan ve ne olsa kendine dönen bu başların içe dönük mistik müziği, kendine muhatap ararken her yerde bir şeylerini bırakıveren ve hafifleyerek yol alan ile bir değildir elbet. Tanburi İsak'ın Isfahan Peşrevi, Sadullah Ağa'nın Beyatiaraban Sengin Semai devrin darb-ı fetihlerle vurulan büyük zamanlarına, acelesiz, verilecek her şeyin verildiği eserlere aittir. Eserler her şeyi verir ama alır da. Bitince bir şey olmamış gibi kalındığı yerden devam edilmez; eserin bıraktığı ve açtığı yer ve o genişlik ancak o kudrette başka bir şey ile dolar.

Aynalıkavak Kasrı'nın adı ile beraber anıldığı III. Selim, tanburî ve neyzen olup gerçek manâda üst perdeden bir bestekârdır. Evcara'dan Şevkefza'ya, Pesendide'den Sûz-i dilâra'ya kadar on beş makam terkip etmiş, bu makamlarda bestelediği büyük eserlerle sanatkârlığı, devlet adamlığını geride bırakmıştır. Daha kadim olup pek kullanılmayan makamlara bir tazelik getirmesi ve bunlarla besteler yapılmasına ön ayak olması da eser üretmek kadar önemlidir. Bestelerinin çoğunu gençliğinde veliahdlık döneminde (1774-1789) bestelemiştir. Musikişinasları çevresine topladığı ve onlarla çok verimli bir dönem geçirdiği bilinir. Bestelediği mürekkep makamlar da yine veliahtlık yıllarına aittir. Yalnız Sûz-i dilara'yı padişahlık zamanında yapmıştır. Aynı zamanda Sultan Selim'e çalış tavrıyla, nesilleri etkileyen üslubu ile bir mihenk taşı olduğu gibi çok incelikli bir yeknesaklıkla örülü beste ve semaileri olan Tanburi İsak, şüphesiz çok lirik ve temelli bir hocalık yapmıştır. Formlara göre tasnif edilecek olursa;

1 ayin, 1 ilâhi, 1 durak, 1 kâr, 29 peşrev, 29 saz semaisi, 10 beste, 10 semai (1 ağır aksak, 4 aksak, 1 nakış Yörük, 4 Yörük), 20 şarkı, 1 köçekçe, III. Selim'in eserleridir.

Türk musiki tarihinde III. Selim ekolü olarak geçen bu dönem, 1807'de son bulan saltanattan sonralara da derinden tesir etmiş, ancak 1830'lardan sonra yine yenilik aranmaya başlanmıştır. Arkası da kuvvetli gelmekle beraber bu kuvvet o zaman dahi III. Selim'den yansıyan bir ışıktır. III. Selim ekolü en başta Sadullah Ağa, Küçük Mehmet Ağa ve Dede ile anılan bir ekoldür. III. Selim'in, eserlerin notaya alınması gerekliliğini hissedip bunun için Hamparsum ve Abdulbaki Nasır Dede'den Türk müziği için uygun nota sistemi icat etmelerini istemesi ve Hamparsum'un icat ettiği sisteme rağbet ederek eserlerin ilk kez notaya geçirilmeleri, bu suretle pek çok eserin hafızadan kayda geçmesi de döneminin ilklerindendir.

2

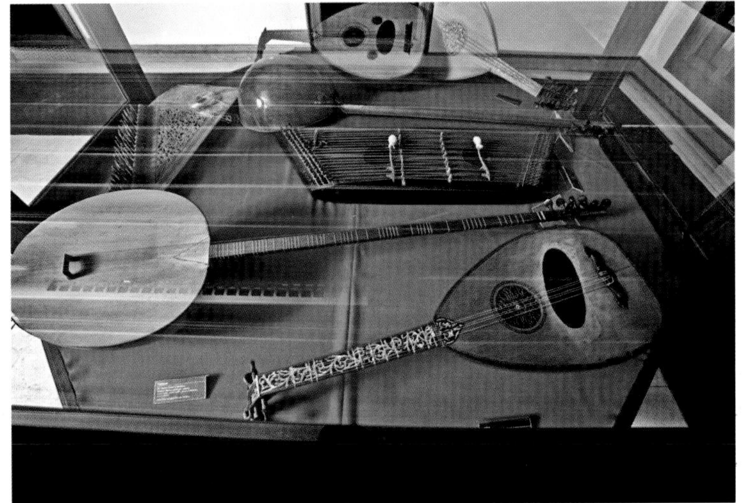

3

1-2-3 Aynalıkavak Kasrı'nın alt katında yer alan Müzik aletleri sergisi.

Aynalıkavak Kasrı böyle bir geçmişe mekânı ve insanları ile ev sahipliği yapmışken şimdi bizlerin elinde "ne iken ne oldum, kimin iken kime düştüm" ıstırabı ile aynı yerde hazerat-ül mevtte beklemektedir. Bugün Milli Saraylar Daire Başkanlığı'na bağlı en eski kasrımız olan bu Kasır, geçmişini anmak için maalesef gerçek hatıralara sahip değildir. O dönemden günümüze ne bir saz, ne bir nota, ne bir şey kalmıştır. Ses kalmıştır. Ancak bu kıymetli eserlerin tavrı, duygusu, anlayışı da yok olduğundan şimdi nasıl icra edildikleri de sonu gelmez tartışmalara konudur. Tartışmayı değil de eseri arayana mı, buldum sananı mı, daha çok merhamet etmek gerekir, o evvah bir yüreğin bileceği şey. Bunlar bile ne kadar ciddidir, kim asla ve gerçeğe yaklaşma kaygısındadır bu dağdağada belli değil.

Yıllar önce 1980'lerin ortalarında, III. Selim'in aziz hatırasına Aynalıkavak Kasrı bir Türk Müziği Merkezi yapılmaya gayret edilmiş, dönemin Türk müziğine yakınlık duyan kimi entelektüeli, sazendeleri, koleksiyonerleri bazı bağışlar yapmışlar, Sultan Aziz'in torunu merhume Gevheri Osmanoğlu'nun varisleri ise müşharünaleyhanın sazlarını, nota ve toplamış olduğu çeşitli müzik yayınlarını Aynalıkavak Kasrı'na vermişlerdir. Bir heyecan ile son büyük sanatkârlarımızdan merhum Bekir Sıtkı Sezgin, Kâni Karaca gibi sanatçılar kasrın bahçesinde konserler vermiş bir şeyleri diriltmeye, akrabalığın, aynı zincirin halkası, meşalenin devamı olmak adına elden ele devretmeye çalışmışlardır. Ancak sanatta seyr-i süluk kuru kuruya "öyle ve O" olduğunu iddia etmekten ibaret kaldığından kerametsiz, ışıksız, kokusuz bu muannit isnat sırf sahibini besleyen bir kör damar olarak soluk almaktadır. Bir nefes ve ruh isteyene Allah saklasın bet beniz solgunluğundan başka verecek müjdesi bulunmamaktadır.

1980'lerin ortalarında açılan ve sözü edilen bağışlara ilave olarak İstanbul Büyükşehir Belediyesi'nin Darül Elhan'dan devraldığı çeşitli sazların da katılımı ile bugün "Aynalıkavak Çalgıları" denen mütevazı bir koleksiyon oluşmuştur. Kasr'ın alt katında sergilenen çalgı, nota ve neşriyatın zamanla ve nitelikli bir artışla arzu edildiği gibi bir merkez olma yolunda ilerlemesi umulmaktadır. 1997 yılında ciddi bir restorasyona girerek 2010 yılına dek kapalı kalan Kasır bahçesi, zarif mimarisi ile Türk müziğine yuva olabilecek bir tattadır. Eski tekke ve dergâh sazları ile çeşnilenen, Manol, Baron, Küçük İzmitli, Onnik Usta gibi ünlü luthierlerin yaptığı bazı sazlar ile ve her kilisede Hz. Musa'nın asasının olması gibi her karyola demirinden yapılma neye "Neyzen Tevfik'in" ithafının vukuu bulması burada da vakidir. Türk müziğinde on sekizinci yüzyılda kullanılan sazlara ve bunların o dönemki hallerine, çeşitli araştırmalardan, Charles Fonton'un çizimleri de dâhil olarak az çok aşinayız. Ancak bildiğimiz kadarı ile Türk sazları ne Mevlevîhânelerde ne Anadolu'da ne farklı müzelerde, on sekizinci ya da daha eski devirlere ait olarak mevcut değil. Topkapı Sarayı Koleksiyonu'nda, henüz göz görmez halde dahi olsalar ciddi bir saz çeşitliliği olduğunu biliyoruz. Onların da bir zaman içinde Aynalıkavak çalgılarına katılarak bu sergiyi zenginleştireceklerini ve farklı dönemlere ait sazların eski ve evrilmiş halleri ile bir arada olmalarının bir müze olma aşamasını destekleyeceğini biliyoruz. Nihai niyet budur. Bu gerçekleştiğinde Aynalıkavak Kasrı en azından önden gideni yakalayan, arkadan gelenlerle kendi geçmiş zamanını yakalamış ve artık zaten beyhude bir çaba olan şimdiden bir şey bekleme halinden kat'ı alâka edecektir.

Aynalıkavak çalgı ve nota, plak envanterini ekte ayrıntılı olarak vererek, çoğunluğu merhume Gevheri Osmanoğlu'na ait bu hatıraları merak edecek olanlar var ise bu merakı giderelim dedik. Ama malum, merak giderilirken duyulan hayal kırıklığı da fazla meraklı olmanın diyetidir. Okuyan, bakan "Aynalıkavak Çalgıları dedikleri de bu muymuş?" demesin. Evet, efendim, deyip durduğumuz, hepi topu budur. Konuşurken daha gümrah duruyor. Daha iyileri mevcudunuzda ise daha önce hep yapıldığı gibi un çuvalına eşi, gözde olmayanı, döküleni, nasipsizi değil, en iyisini, yakışacağı alıp Aynalıkavak'a geliniz. Veren, hayırlı elinizi dünyaya gösteriniz.

Aynalıkavak Sarayı.

GEVHERİ OSMANOĞLU SAZLARI	
YD 10572	Küçük İzmitli Yapımı Klasik Kemençe
YD 10573	Baron Yapımı, Haluk Recai Tarafından 1955'de Elden Geçirilmiş Klasik Kemençe
YD 10579	Baron Yapımı Kemençe Yayı
YD 10580	Küçük İzmitli Yapımı Kemençe Yayı
YD 10574	Tanbur (Tanburi Cemil Bey'in Olduğu Söylenir)
YD 10584	Haluk Recai Yapımı Ud, Tanbur, Kemençe Maketi
YD 10583	Fransız Yapımı Keman (Aubert A'mırecourt)
YD 10582	Fransız Yapımı Keman (Vuıllaume)
YD 10576	Manol Yapımı Ud
YD10578	Manol Yapımı Ud
YD 10577	Hairabet Gadayan Yapımı Ud
YD 10575	Hadi Eroğluer Yapımı Ud
İSTANBUL BELEDİYESİ'NDEN GELMİŞ SAZLAR	
1338	Zurna
1338	Kaba Zurna
3162	Nefir
3098	Nefir
4305	Nefir
4446	Ney
4462	Ney
4463	Ney
3101	Şahney
3101	Şahney
4464	Girift

4465	Nısfiye
1336	Def
3072	Çifte Halile -Topkapı Dergâh-ı Şerifi Postnişin Eşeyh El hac esseyyid Cemal Fahri Efendi, Sene 1310,19 Şevval
3067	Def-Rufai Tarikatından Mehmet Hilmi, Dergâh-ı Karababa,1327
3069	Çifte Nakkare
3070	Çifte Nakkare
1327	Kemençe
1341	Kabak Kemane
1342	Karadeniz Kemençesi
1328	Cura
4460	Bağlama
1324	Ud
1324	Lavta
1325	Tanbur
1333	Kanun
1331	Santur
4522	Darbuka
1329	Dümbelek
1330	Davul Tokmağı
1332	Zilli Maşa
1334	Çifte Zil
3067	Def
4306	Kaval
4307	Kaval
4308	Çifte

HEDİYELER	
YD 10213	Kaval Süha Umur Armağanı
YD 10215	Rebap Süha Umur Armağanı
YD 10216	Çifte Süha Umur Armağanı
YD 10415	Kemençe İhsan Özgen Armağanı
YD 11476	Ud İhsan Özgen Armağanı
YD 10212	Haluk Recai Yapımı Tanbur, Cemil Özbal'a Ait Necdet Yaşar Armağanı
YD 10211	Kemençe Necdet Yaşar Armağanı
YD 10214	Kaval Süha Umur Armağanı
YD 10210	Sadrettin Özçimi Armağanı
YD 11475	Nısfiye Muammer Karabey Armağanı